Mis amigos de la Biblia

Para
Brian y Bruce
Randy y Diana

y
para todos los niños y niñas
que aman las historias de la Biblia

Título de este libro en inglés: *My Bible Friends*
Versión castellana: Lourdes Morales-Gudmundsson

Editado e impreso por
PUBLICACIONES INTERAMERICANAS
División Hispana de la Pacific Press® Publishing Association:
   • P.O. Box 5353, Nampa, Idaho 83653-5353, EE.UU. de N. A.

ISBN 0-8163-9914-X
Offset in U.S.A.

   98 99 00 • 8 7 6

Mis amigos de la Biblia

Etta B. Degering / Tomo 1

Ilustraciones: William Dolwick, Robert L. Berran y Fred Collins

Historias que aparecen en este tomo:

El niño Moisés

El Niño Jesús

La túnica nueva de José

José y sus hermanos

PUBLICACIONES INTERAMERICANAS

Pacific Press® Publishing Association

Nampa, Idaho

El niño Moisés

Moisés era un pequeño bebecito.
La mamá lo mecía en sus brazos;
    ¡cómo lo quería!
El papá también lo quería mucho
    y le acariciaba las mejillas regordetas.
Y los hermanos de Moisés,
    ¡cuánto lo querían!
María le cantaba canciones alegres
    y Aarón le hacía cosquillitas en los pies.
¡Nunca hubo un bebé más querido que Moisés!

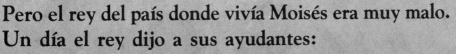

Pero el rey del país donde vivía Moisés era muy malo.
Un día el rey dijo a sus ayudantes:

—Echen al río a todos los bebés varones.

—¡Ay, no, no! —exclamó la mamá de Moisés
abrazando fuertemente a su bebé.

—No dejaremos que nadie eche nuestro bebé al río
—dijo el papá con firmeza.

—¡No, nunca, nunca! —dijo María.

—¡Nunca! —dijo Aarón sacudiendo la cabeza.

—Escondamos a nuestro bebé —dijo la mamá.
Pero al niñito Moisés no le gustaba
     que lo tuvieran encerrado todo el día,
     ¡cómo lloraba!
María temía que los soldados del rey fueran a oírlo.
—¡Shh! ¡Shh! —le susurraba;
     pero él lloraba más fuerte aún.
—Ay, ¿qué haremos? —se preguntaba la pobre María.

—Haremos un barquito para el niñito Moisés
　　y lo esconderemos entre los juncos,
　　a la orilla del río —dijo la mamá.
Entonces hicieron una canastilla y la pintaron
　　con brea para que no le entrara el agua.
La mamá le puso una almohadita suave
　　y unas frazaditas calentitas
　　y acostó allí al niñito Moisés.

Al día siguiente, tempranito —tan temprano que Aarón
aún no se había despertado—, la mamá y María
llevaron al río el barquito con el niñito Moisés.
Cuando llegaron a la orilla, pusieron a flotar
el barquito sobre las aguas.

Los altos juncos no dejaban que se escapara el barquito.
La mamá dejó a María para que cuidara a su hermanito,
    y se volvió a la casa para orar y pedirle a Dios
    que cuidara a su bebé.
El sol brillaba
    y soplaba una suave brisa.
El agua mecía el barquito.
Al niñito Moisés le gustaba que lo mecieran.
Pronto se quedó dormido.

María se escondió entre los juncos del río.
Vigilaba el barquito
   que se mecía en el agua.
Pero, ¡escuchen! Alguien viene por ahí.
¡Ay! Era la hija del rey
   que venía al río para bañarse,
   acompañada de sus criadas.
¿Se fijaría ella en el barquito?
¿Echaría al niñito Moisés al río?

La hija del rey se iba acercando.
De pronto, se detuvo en la orilla del río
    y señaló el barquito.
—Ve —le dijo a una criada—.
    Tráeme esa canasta.
La hija del rey levantó la tapa.
—¡Qué bebé tan precioso! —exclamó—.
    Quiero que sea mío, sólo mío.

María se acercó corriendo.

Haciendo una reverencia ante la hija del rey, dijo:

—¿Quiere que le consiga una nodriza para el bebé?

—Sí —le contestó la hija del rey—. Búscame una
    nodriza para que me cuide al bebé.

María hizo una reverencia otra vez,
    y salió corriendo hacia su casa.

—¡Mamá! ¡Mamá! ¡Ven! ¡Ven!
    La hija del rey ha encontrado al niñito Moisés.
    Está buscando una nodriza para que lo cuide.
    Parece que le gusta nuestro bebé.
    Ella no va a dejar que nadie lo eche al río.

La mamá y María se dieron prisa para llegar al río.
Encontraron a la hija del rey con el niñito Moisés.
El chiquillo estaba llorando; tenía miedo.
—Toma a este bebé y críamelo.

　　　Yo te pagaré un sueldo —dijo la hija del rey.
La mamá extendió los brazos hacia el bebé,
　　el niñito Moisés sonrió y levantó las manitas.
La hija del rey le dijo a la mamá:
—Quédate con el bebé hasta que sea grandecito.

La mamá tomó al niñito y se alejó por el sendero.
Estaba feliz porque se llevaba a casa a su bebé.
Ya no tendría que esconderlo.
María estaba tan contenta que saltaba y cantaba.
El niñito Moisés sonreía. El también estaba contento.
El papá y Aarón los estaban esperando.
Aarón saltaba, saludándolos con la mano desde lejos.

Cuando estuvieron seguros en casa otra vez,
    todos se arrodillaron para orar
    en torno a la cuna del niñito Moisés:
    el papá, la mamá, María y Aarón.
—Gracias, oh Señor —oró el papá—,
    por haber protegido a nuestro bebé de todo mal.

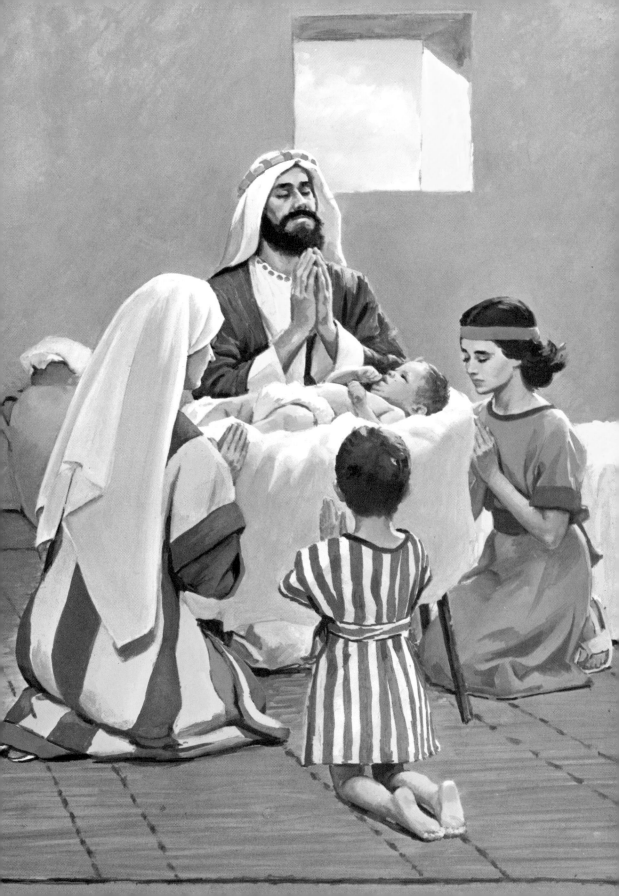

El Niño Jesús

Clip, clap. Clip, clap,
    resonaban los cascos de Borriquito mientras
    subía l-e-n-t-a-m-e-n-t-e la última cuesta.
María iba montada sobre Borriquito
    y José caminaba a su lado.
María y José estaban muy, muy cansados.
Borriquito también estaba cansado.
Habían andado mucho, mucho tiempo.
Desde lo alto de la colina —¡qué felicidad!—
    vieron, por fin, las luces de Belén.

José empezó a caminar más rápido.

Clip clap, clip clap, se apresuró Borriquito también.

Bajaron la loma y entraron por el portón
    en el pueblecito donde dormirían esa noche.

En el mesón, José pidió alojamiento.

—No hay lugar —dijo el mesonero.

—¿No le queda tan siquiera un lugar para dormir?
    —preguntó José.

—Sólo en el establo. . . lo siento.

José llevó a Borriquito hasta el establo.
Empujó la vieja puerta que crujió al abrirse.
Levantando la linterna que le había prestado
    el mesonero, revisó el interior del establo.
Vio a Vaca Pinta y a Corderito Lanudo;
    también vio los pesebres que estaban vacíos.
Ató a Borriquito junto a un pesebre
    y en otro preparó una cama de paja
    para él y para María.
Pronto todos se durmieron profundamente.

Durante la noche, sucedió algo maravilloso:
　　¡nació el Niño Jesús!
José llenó un pesebre de heno fresco y limpio.
María envolvió al bebé en paños suaves y blancos
　　y lo acostó en el pesebre.
Los animales parecían alegrarse con el Niño Jesús.
A Vaca Pinta se le escapó un mugido suave,
　　Corderito Lanudo sacudió el cencerro
　　y Borriquito miraba y miraba.

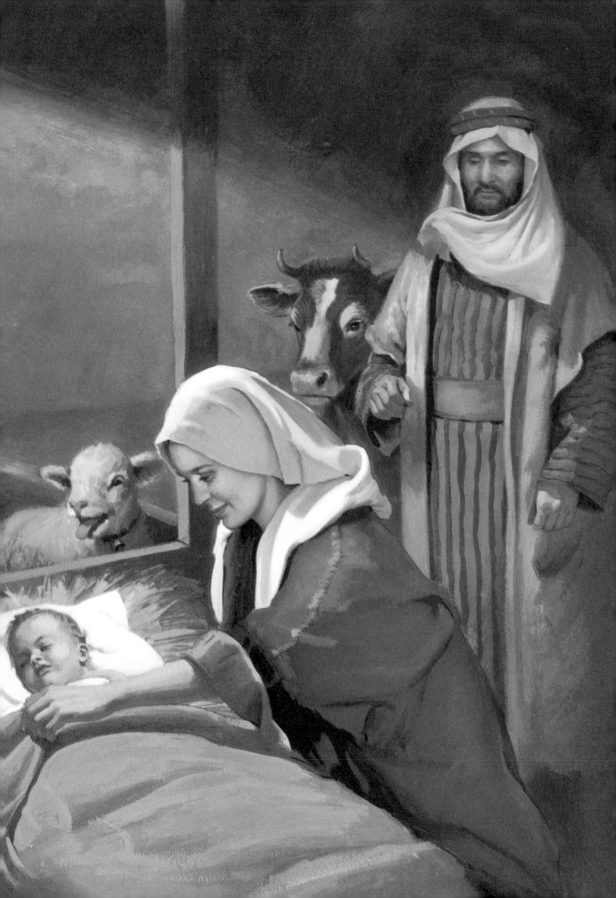

Aquella noche, en un campo cerca de la aldea,
   los pastores cuidaban sus rebaños de ovejas.
De repente, una luz brillante, tan brillante como
   el sol, envolvió todo con su esplendor.
Los pastores tuvieron miedo
   y se cubrieron la cara.
Las ovejas tuvieron miedo,
   y se amontonaron.

—No teman —dijo una voz dulce y suave.
Los pastores, descubriéndose la cara,
 vieron un ángel muy brillante, que dijo:
—¡Les traigo nuevas de gran gozo!
 Jesús, el Salvador, ha nacido.
 Lo encontrarán acostado en un pesebre.
Entonces el cielo se llenó de ángeles brillantes
 que cantaban:
"Gloria a Dios en las alturas, y en la tierra paz,
 buena voluntad para con los hombres".

Y al alejarse los ángeles, cada vez más y más,
    parecían una brillante estrella
    en el cielo oscuro de Belén.
—Vayamos a ver qué pasó —dijeron los pastores.
Corrieron hasta llegar al establo
    y allí encontraron a José y a María,
    y al Niño Jesús en su camita de paja.

Muy lejos, unos sabios vieron la estrella de ángeles.
Dijeron: "Esta es la estrella del Niño Rey.
    Vayamos a adorarle y a llevarle regalos".
Los sabios, que se llamaban magos, prepararon los presentes.
Un sabio llenó una bolsa de oro.
Otro llenó un frasco con incienso,
    perfume de fragantes flores.
Y el tercero llenó una caja especial con mirra,
    perfume de aromáticas especias.

Los sabios recogieron sus regalos,
montaron sus camellos,
y salieron, siguiendo la estrella.
Cruzaron ríos y montañas y desiertos arenosos;
a veces hacía frío,
a veces hacía calor;
pero siempre seguían tras la estrella.

Entonces, una tarde, la estrella se detuvo
    sobre una casa en el pueblecito de Belén.
Los magos hicieron arrodillarse a sus camellos
    delante de la casa.
Bajaron de los camellos y,
    con los regalos en la mano, llamaron a la puerta.

José abrió la puerta; y adentro
estaba María con el Niño Jesús.
Los sabios se postraron y adoraron al Bebé
a quien ellos llamaban Rey.
Le dieron los regalos:
la bolsa de oro,
el frasco de incienso,
la caja de mirra.
Entonces los sabios se despidieron, y en sus camellos
comenzaron el largo viaje de regreso.

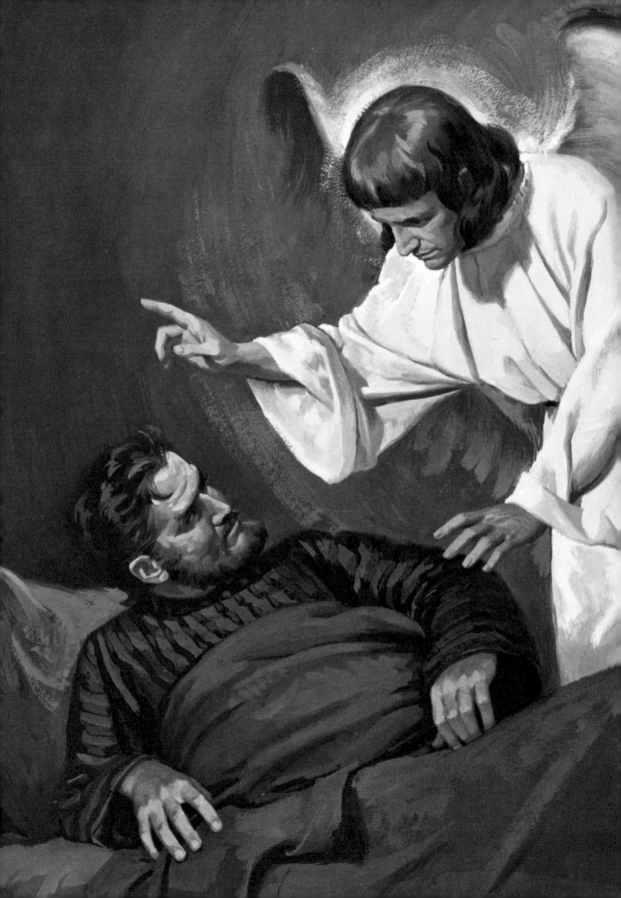

Una noche oscura, cuando José dormía,
y María dormía
y el Niño Jesús dormía,
un ángel susurró en el oído de José:
—Levántate pronto —le dijo—. Toma a María y al bebé
y huye a Egipto. El rey malo
busca al bebé para hacerle daño.
Quédense en Egipto hasta que yo les diga.
El rey estaba enojado porque la gente decía
que algún día el Niño Jesús iba a ser rey.

José se levantó de prisa
    y le contó a María lo que el ángel había dicho.
Fue al establo a buscar a Borriquito.
María envolvió al Niño Jesús en su frazadita.
José ayudó a María a subirse sobre Borriquito.
Luego, puso al Niño Jesús en sus brazos.
Clip clap, clip clap. De nuevo se oyeron resonar
    los cascos de Borriquito al salir de Belén
    y bajar por el camino que los llevaría a Egipto.
Ahora el rey malo no podría encontrar al Niño Jesús.

José y María, el Niño Jesús y Borriquito
   vivieron en Egipto mucho tiempo.
Jesús aprendió a caminar y a hablar.
Una noche, el ángel volvió a susurrar a José:
—El rey malo ha muerto. Ya pueden volver a casa.
Una vez más María montó sobre Borriquito,
   pero el Niño Jesús ya no tuvo que ir montado.
A veces caminaba y ayudaba a guiar a Borriquito.
No volvieron a Belén donde Jesús había nacido.
Fueron a Nazaret, el antiguo hogar de José y de María.

José y María se alegraron de estar de vuelta en su casa.
Borriquito se alegraba de estar otra vez en su establo.
Cuando el Niño Jesús se acostaba de noche,
    María le contaba historias.
Le contaba
    acerca del niñito Moisés y de su barquito de juncos;
    acerca del canto glorioso de los ángeles,
    acerca de los magos que siguieron la estrella
    y llegaron para adorar al Niño Rey.

La túnica nueva de José

José vivía en una tienda,
  una carpa grande de rayas anchas,
  allá lejos en el campo.
Jacob, su papá, tenía muchas, muchas ovejas.
Los diez hermanos mayores de José cuidaban
  de los rebaños en las colinas cercanas.
José y su hermanito Benjamín
  cuidaban de los corderitos
  que no tenían mamá.

José y Benjamín daban de comer a los corderitos,
    usando unos platillos de barro cocido.
Mojaban los dedos en la leche tibia
    y luego dejaban que los corderitos se los lamieran.
Los corderitos meneaban la cola
    mientras tomaban la leche.
Era su modo de decir:
    "La leche está buena,
    ¡tan calentita y tan rica!"

Llegó la primavera.

Los días eran soleados y tibios,
    demasiado calientes para usar abrigo.

José dobló cuidadosamente su túnica
    y la guardó.

No la necesitaría más
    hasta que volvieran a soplar los vientos fríos.

Las ovejas sentían mucho calor con sus abrigos de lana.

"Beee. . . Beee. . . —decían—.
    Quítennos nuestros abrigos también".

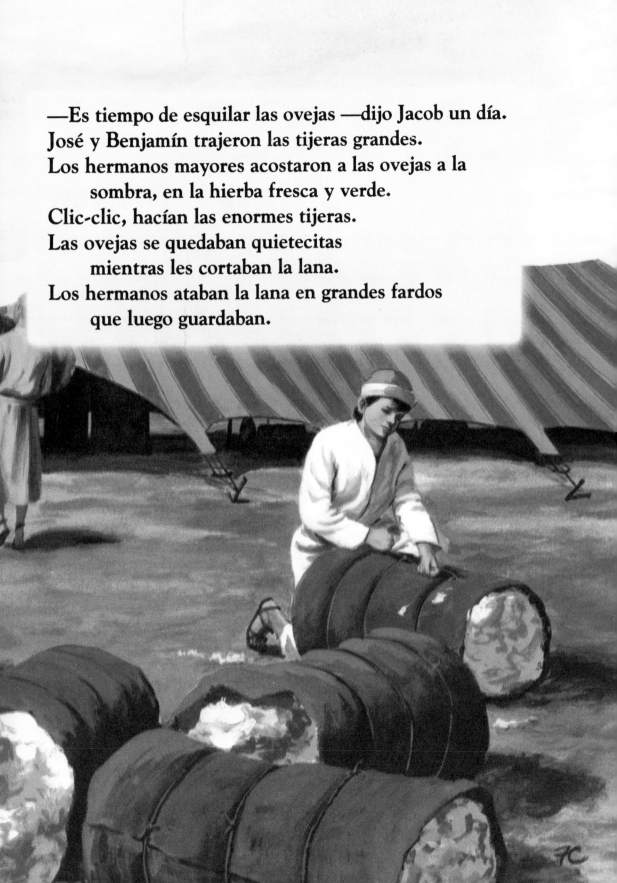

—Es tiempo de esquilar las ovejas —dijo Jacob un día.
José y Benjamín trajeron las tijeras grandes.
Los hermanos mayores acostaron a las ovejas a la
     sombra, en la hierba fresca y verde.
Clic-clic, hacían las enormes tijeras.
Las ovejas se quedaban quietecitas
     mientras les cortaban la lana.
Los hermanos ataban la lana en grandes fardos
     que luego guardaban.

Las ovejas parecían diferentes
     sin sus abrigos de lana.
Los pobres corderitos no reconocían a sus mamás.
Corrían de aquí para allá, llorando:
     "¡Beee. . .! ¡Beee. . .!
     ¿Dónde está mi mamá?"
Pero José y Benjamín sabían
     que pronto las mamás ovejas
     encontrarían a sus corderitos perdidos.

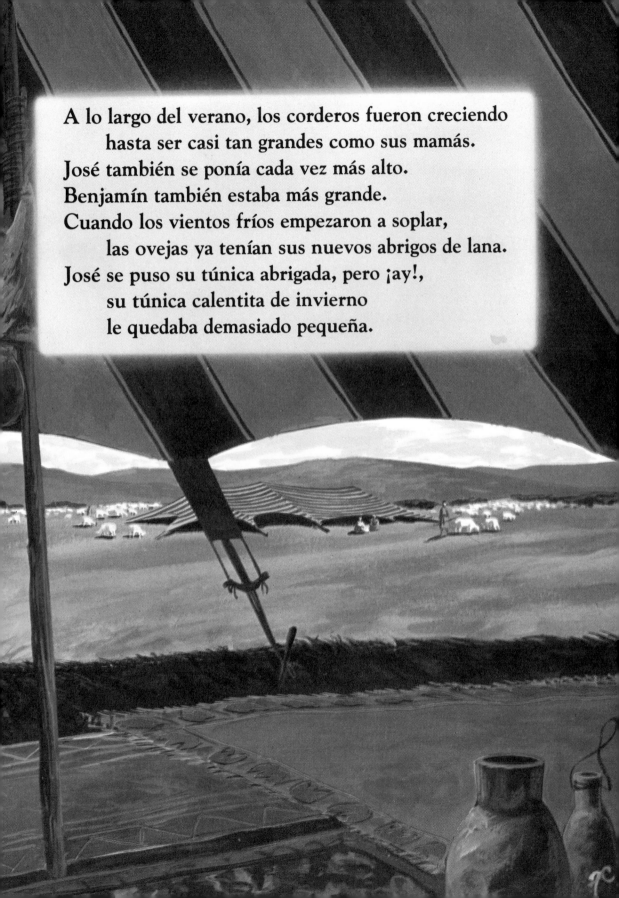

A lo largo del verano, los corderos fueron creciendo
    hasta ser casi tan grandes como sus mamás.
José también se ponía cada vez más alto.
Benjamín también estaba más grande.
Cuando los vientos fríos empezaron a soplar,
    las ovejas ya tenían sus nuevos abrigos de lana.
José se puso su túnica abrigada, pero ¡ay!,
    su túnica calentita de invierno
    le quedaba demasiado pequeña.

—Ve y busca un atado de lana
    —le dijo papá Jacob—.
    Te haré una túnica nueva,
    una túnica bonita de muchos colores.
José trajo un atado de lana.
Trajo también las vasijas con los colores.
Y empezaron a teñir la lana:
    rojo y amarillo, azul y violeta,
    anaranjado y verde, y negro también.

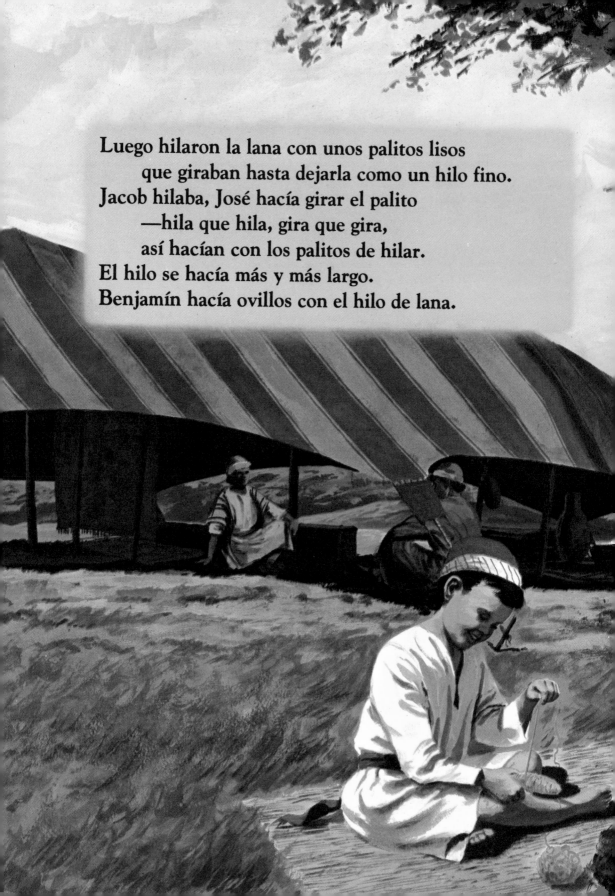

Luego hilaron la lana con unos palitos lisos
  que giraban hasta dejarla como un hilo fino.
Jacob hilaba, José hacía girar el palito
  —hila que hila, gira que gira,
  así hacían con los palitos de hilar.
El hilo se hacía más y más largo.
Benjamín hacía ovillos con el hilo de lana.

Después Jacob armó el telar debajo de un roble.
Arriba y abajo, arriba y abajo,
    así llenaba Jacob el telar con el hilo de lana.
Entonces, mete y saca, mete y saca
    entre los hilos hasta que hizo una franja azul.
Mete y saca, mete y saca,
    se movía la lanzadera:
    rayas verdes, rayas violetas, rayas anaranjadas.
Así trabajó día tras día hasta que la túnica de José
    quedó del tamaño correcto.

José se probó su túnica de muchos colores.
Era grande como la de un hombre. Y tenía mangas...
—¡Te queda bien, hijo, te queda bien! —exclamó
papá Jacob, satisfecho de su trabajo.
—¡Qué túnica más linda! —dijo Benjamín.
—Es preciosa y muy abrigada —dijo José—.
Gracias, papá; gracias, hermanito.

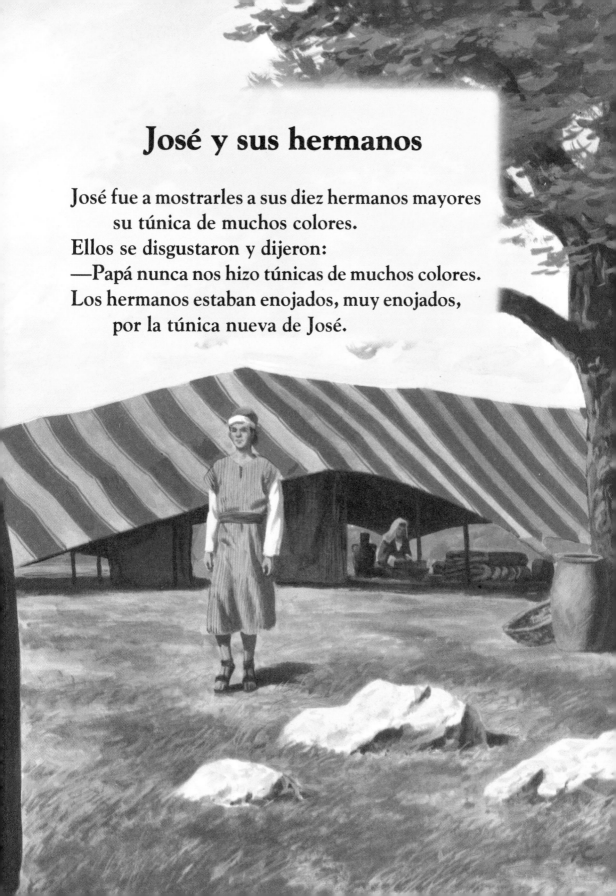

José y sus hermanos

José fue a mostrarles a sus diez hermanos mayores
    su túnica de muchos colores.
Ellos se disgustaron y dijeron:
—Papá nunca nos hizo túnicas de muchos colores.
Los hermanos estaban enojados, muy enojados,
    por la túnica nueva de José.

Una noche, mientras dormía,
    José tuvo un sueño, un sueño extraño.
Soñó que él y sus hermanos estaban en el campo
    atando gavillas de trigo.
De repente, la gavilla de José se enderezó.
Las gavillas de sus hermanos la rodearon
    y se inclinaron ante ella.

José les contó a sus hermanos el sueño extraño.
Ellos respondieron:
—¿Te has creído que nos postraremos delante de ti?
Los hermanos estaban enojados, muy enojados,
    por causa del sueño de José.

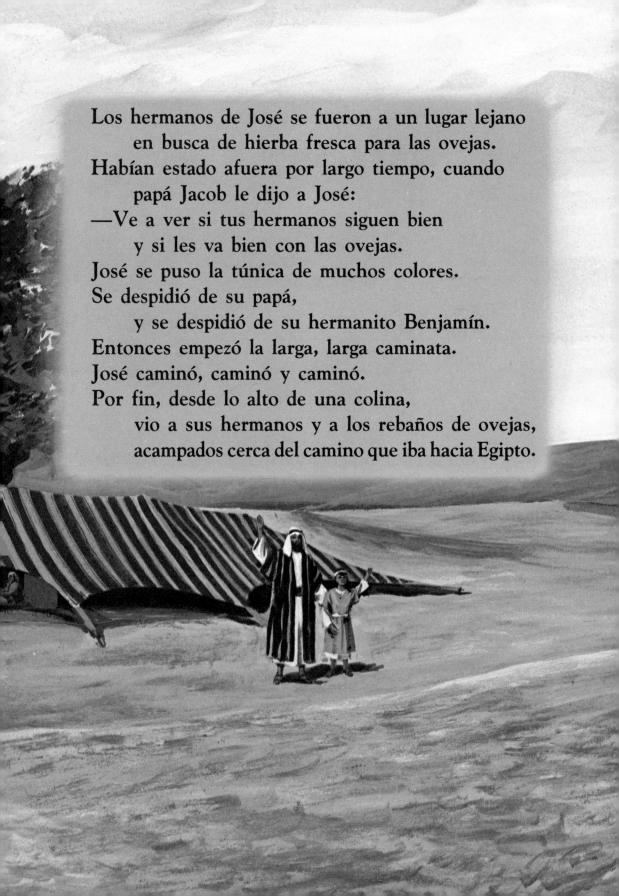

Los hermanos de José se fueron a un lugar lejano
        en busca de hierba fresca para las ovejas.
Habían estado afuera por largo tiempo, cuando
        papá Jacob le dijo a José:
—Ve a ver si tus hermanos siguen bien
        y si les va bien con las ovejas.
José se puso la túnica de muchos colores.
Se despidió de su papá,
        y se despidió de su hermanito Benjamín.
Entonces empezó la larga, larga caminata.
José caminó, caminó y caminó.
Por fin, desde lo alto de una colina,
        vio a sus hermanos y a los rebaños de ovejas,
        acampados cerca del camino que iba hacia Egipto.

José llamó desde lejos a sus hermanos,
y agitando el brazo los saludó.
Estaba muy contento de verlos.
Pero los hermanos de José no se alegraron y dijeron:
—Aquí viene ese soñador.
Cuando se acercó lo agarraron,
le quitaron la túnica de muchos colores
y lo echaron en un pozo hondo.
José les rogaba que lo dejaran volver a casa,
pero todo fue en vano.
Se sentaron a comer y a José no le dieron
ni una migaja.

Por el polvoriento camino que conducía a Egipto,
iban unos comerciantes con sus camellos.
Los hermanos dijeron entre sí:
—Vendamos a José a estos comerciantes.
Así que sacaron a José del pozo
y lo vendieron por veinte monedas de plata.

Los comerciantes se llevaron a José.
Desde el camino, José pudo ver las colinas
    donde estaba la tienda de su papá.
Allí estaba Benjamín también.
¡Oh, si pudiera estar allá con ellos!
José lloraba y lloraba y lloraba.
Pero luego dejó de llorar y dijo:
—Voy a ser fuerte.
    Dios cuidará de mí.

En Egipto, los comerciantes vendieron a José
    a un señor llamado Potifar.
A José le tocaba trabajar mucho.
Le dolían las piernas, le dolía la espalda,
    pero hacía su trabajo lo mejor que podía.
Cuando barría el piso, limpiaba bien los rincones.
Cuando le tocaba arrancar las malezas
    no dejaba ni una sola en el jardín.
Potifar le decía:
—Tú eres un buen trabajador, José.

José aprendió a hablar como la gente de Egipto.
Vestía como la gente de Egipto.
Se cortaba el cabello como la gente de Egipto.
Pero había algo que nunca, jamás,
      haría José como la gente de Egipto.
La gente de Egipto oraba a un ídolo,
      o a un gato, y a veces a una rana.
Pero José oraba siempre al Dios del cielo,
      tal como le había enseñado su padre Jacob.

Pasaron muchos, muchos años.
José creció y llegó a ser un hombre muy sabio.
Sucedió que el rey de Egipto
    estaba buscando un hombre muy sabio
    para construir almacenes y llenarlos de granos.
Dijo el rey:
—¿Dónde encontraré un hombre más sabio que José?
    El me construirá los almacenes
    y me los llenará de granos.

Así el rey nombró a José gobernador de Egipto,
    segundo después del rey.
Al pueblo de Egipto le dijo:
—Lo que diga José eso harán.
José usaba un carro lujoso
    tirado por caballos de mucho brío.
Construyó los almacenes para el rey,
    y llenó esos almacenes de granos.

Llegó la época de sequía.
Como no había lluvia, nada crecía.
No había granos ni para el pueblo
     ni para las vacas ni para los caballos.
Todo el pueblo clamó al rey:
—¡Danos trigo o nos moriremos!
El rey respondió:
—Vayan a José; él los ayudará.
José abrió los almacenes y vendió trigo al pueblo.

Un día, José vio acercarse al almacén
    donde él vendía granos,
    a diez burritos cargados con sacos vacíos.
Al lado de los diez burritos venían
    sus diez hermanos mayores.
Los hermanos no reconocieron a José,
    pero José los reconoció.
Ellos se postraron ante José
    con las caras hacia el suelo.
José se acordó del sueño de las gavillas.

José habló con sus hermanos,
    pero no les dijo quién era él.
—Y el papá de ustedes, ¿está bien? —preguntó José.
—Nuestro padre está muy bien —contestaron sus hermanos.
    Tenemos, además, un hermano menor en casa.
—Cuando regresen a comprar granos —les dijo José—,
    traigan consigo a su hermanito también.
José llenó los sacos vacíos con el grano
    y los hermanos se fueron a su casa
    con sus burritos cargados.

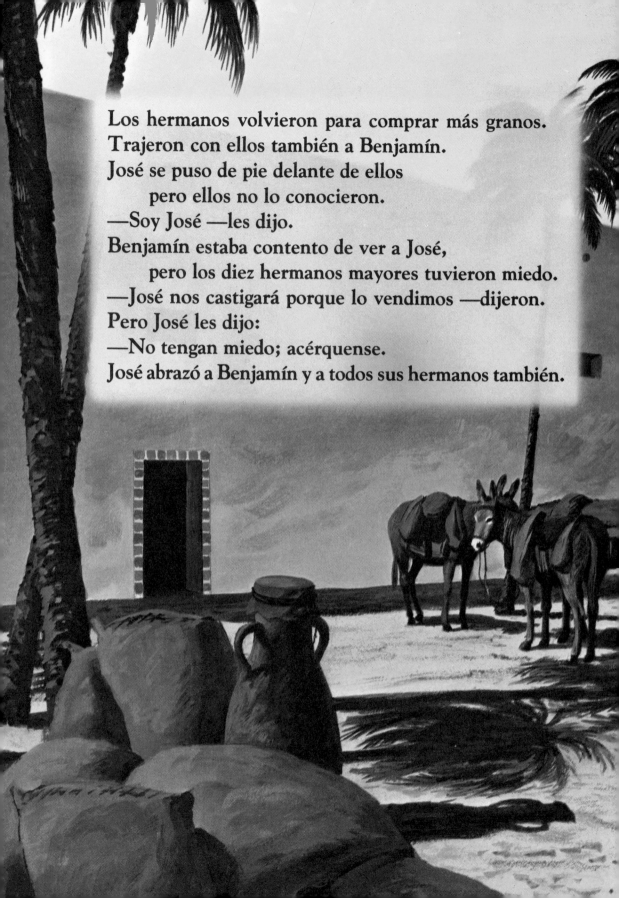

Los hermanos volvieron para comprar más granos.
Trajeron con ellos también a Benjamín.
José se puso de pie delante de ellos
    pero ellos no lo conocieron.
—Soy José —les dijo.
Benjamín estaba contento de ver a José,
    pero los diez hermanos mayores tuvieron miedo.
—José nos castigará porque lo vendimos —dijeron.
Pero José les dijo:
—No tengan miedo; acérquense.
José abrazó a Benjamín y a todos sus hermanos también.

Los hermanos de José eran ahora hombres buenos.
Se habían arrepentido de lo malo que habían hecho.
José les dio a cada uno una túnica nueva.
Envió con sus hermanos muchos regalos
    para Jacob, su padre.
Y mandó carros para que todos vinieran a Egipto,
    donde había suficiente alimento.

Un día, José observaba el camino
cuando vio que se acercaban los carros
que él había mandado y los diez burritos
y sus hermanos con las ovejas del padre,
por el camino a Egipto.
José subió a su carro, e hizo que los caballos salieran
a todo galope para encontrarse con su familia.

Cuando Jacob vio que era José quien se acercaba,
    se bajó del carro.
José también se bajó del carro en que venía
    y corrió al encuentro de su padre
    y lo estrechó entre sus brazos.
¡Cómo se abrazaron el padre y el hijo!
Ahora José y su padre y Benjamín
    y sus diez hermanos mayores
    vivirían felices en Egipto.